Meuh où Est GertRude?

À Thomas, Sarah, Norah et Nicolas,
merci de me faire rire…
Benoit

À nos meeeuuuhmans,
sans qui nous ne serions que
de petits « veaux-rien ».
Bellebrute

Catalogage avant publication de
Bibliothèque et Archives nationales du Québec
et Bibliothèque et Archives Canada

Dutrizac, Benoit, 1961-
Meuh où est Gertrude ?
(Collection Histoires de rire)
Pour enfants.

ISBN 978-2-923813-10-3

I. Bellebrute. II. Titre.
III. Collection : Collection Histoires de rire.

PS8557.U874M48 2014 jC843'.54 C2014-940294-5
PS9557.U874M48 2014

Direction littéraire : Sophie Sainte-Marie
Direction artistique et graphisme : Primeau Barey
Révision : Marie Labrecque
Dépôt légal : 2e trimestre 2014
Bibliothèque et Archives nationales du Québec
Bibliothèque et Archives Canada

Fonfon
Case postale 76575, Mtl CP Bélanger
Montréal (Québec)
H1T 4C7
Courriel : info@editionsaf.com

www.editionsaf.com

Nous remercions le gouvernement du Québec
de l'aide financière accordée à l'édition de cet ouvrage
par l'entremise du Programme de crédit d'impôt
pour l'édition de livres – Gestion SODEC.

Nous remercions le Conseil des Arts du Canada de l'aide
accordée à notre programme de publication.

**Imprimé au Québec sur papier certifié FSC®
de sources mixtes.**

Texte : Benoit Dutrizac
Illustrations : Bellebrute

Meuh où est GertRude?

fonfon

Seul dans son coin de la ferme,
le veau est tout triste.
– Est-ce que quelqu'un a vu
maman Gertrude?

Aucun des animaux ne sait
où est la vache, mais tous se
demandent comment
réconforter le petit veau.

—Que ferait Gertrude pour changer les idées à son fiston? demande le cochon.

Le canard s'avance:
—Gertrude raconterait des devinettes!
—C'est vrai! lance le mouton.
Cette vache aime bien nous faire rire!

—COUAC-COUAC-COUAC
qu'on en dise, je n'ai pas une cervelle d'oiseau, dit le canard, tout fier.

Le mouton, inspiré, demande au veau :
–Que dit le cochon à ses amis
quand ils jouent à cache-cache ?
–Je ne sais pas, répond-il.

-COCHONS-NOUS !

Le veau rit un peu et décide de jouer le jeu :
—Maman Gertrude m'a appris cette devinette.
Pourquoi le mouton a-t-il puni
son agneau ? Parce qu'il a fait des

bêêêêtises...

À son tour, le mouton bêle
sa devinette :
– Pourquoi dit-on que le cochon
a mauvais caractère ?
C'est parce qu'il est un peu
Gro-gro-grognon!
Le cochon n'aime pas du tout
la blague du mouton. Il lui demande :
– Pourquoi le cochon fait-il les
Gro-GRO-GROS
yeux au mouton ?

Parce que le mouton
aime trop le
bêêêêêCON!

–À la campagne, ça sent parfois le
caca de vache, dit le cochon
en se bouchant le groin.
Est-ce qu'on peut dire que ça sent

meeeuuuhvais?

Le cochon se roule de rire
dans la boue.
– Ah, ça, ce n'est pas gentil,
réplique le veau.
– Oui, tu peux bien parler de ce qui pue,
toi, le cochon! ajoute le coq.

La crête haute, le coq bombe
le torse au milieu des animaux.
–Savez-vous ce que font deux poules
quand elles se rencontrent?
Elles placotent-cot-cot...

La poule s'offusque:
–Votre devinette est un véritable
FiascOCORiCO!

– Oh ! les amoureux, pas de chicane !
s'exclame le mouton. On sait ce que font
la poule et le coq quand ils se voient...

ils se BÉCOTEnt-cot-cot...

– Gros jaloux ! répond une poule.
Un bisou n'a jamais fait de mal à un coq !

Justement, le coq s'en mêle :
– Pourquoi la chèvre a-t-elle les joues rouges ?
Parce que le mouton lui a donné un petit

bêêêêser...

– Et pourquoi la vache fait-elle les yeux doux
au bœuf ? dit le canard. Parce qu'elle

l'AimeeEUUuH !

Les animaux sont très contents
de voir sourire le veau.

La chèvre lance sa devinette :
– Et qu'ajoute la poule quand elle
demande quelque chose ?

S'il VOUS POULET !

Le veau rigole.

–Que mange la poule pour sa collation? demande-t-il.
DES BISCOTTES-cot-cot...

cotCOTCOTCOTCOT

–Quel est le légume préféré du mouton? pépie alors le poussin.
LA BÊÊÊÊêtteRAVe.

BÊÊÊÊÊÊÊÊÊÊ

−Et quel est le fruit favori de
la vache? continue le cochon.
LE MEEEUUUHLOn.

MEEEUUUH

CUICUICUICUICUI

Même si le veau arrive à s'amuser,
il reste inquiet. Il regarde sans arrêt vers
la forêt. Sa maman lui manque vraiment.
—Mais où est maman Gertrude?

Le canard tente de le rassurer:
—Ah, mon ami, Gertrude va revenir
bientôt. J'en suis sûr...

SUR comme UN CiTRon!

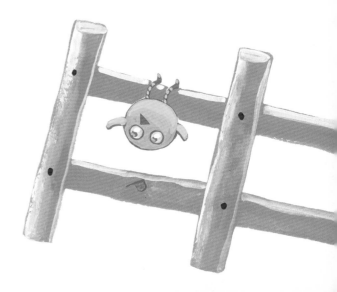

Tout à coup, le groupe
entend un doux meuglement.
C'est Gertrude !

Elle demande :
—Et que dit le veau quand
il voit sa mère ?

MeeeeuuuHman !

Gertrude s'approche de son
fiston et lui murmure avec affection:
—Ah, mon grand garçon, tu avais
de la peine? Fallait pas faire

meUH-HEU-HeU...

–Maman, où étais-tu passée ?
–J'ai participé au concours international
de devinettes de la foire agricole,
répond Gertrude, toute fière. J'ai gagné
le premier prix. Regarde ma belle

MeeeuuUHDaille!

Tous les animaux crient:
HourrA! youpi! BRAvo!

Après cette longue journée,
Gertrude bâille et s'étend sur l'herbe.

– Ton petit était fatigué de t'attendre,
ronronne le chat. Sais-tu ce qu'il nous a dit ?
« Je suis épuisé, je veux MEeeuUuH coucher. »

Le veau se blottit contre Gertrude,
qui lui chuchote:
–Et que dit la vache à son veau adoré
avant de s'endormir?
BONNE NUIT!

Voici quelques activités pour poursuivre ton expérience dans le fabuleux monde de Gertrude!

Jeu de mémoire

L'histoire de Gertrude est remplie de devinettes. Te souviens-tu des réponses? Défie ta mémoire en lisant les questions ci-dessous! Tu peux vérifier tes réponses à la page indiquée.

P. 8   Que dit le cochon à ses amis quand ils jouent à cache-cache?

P. 11 Pourquoi le mouton a-t-il puni son agneau?

P. 12 Pourquoi dit-on que le cochon a mauvais caractère?

P. 12 Pourquoi le cochon fait-il les gros yeux au mouton?

P. 17 Que font deux poules quand elles se rencontrent?

P. 18 Que font la poule et le coq quand ils se voient?

P. 18 Pourquoi la vache fait-elle les yeux doux au bœuf?

P. 21 Qu'ajoute la poule quand elle demande quelque chose?

P. 22 Que mange la poule pour sa collation?

P. 22 Quel est le légume préféré du mouton?

P. 23 Quel est le fruit favori de la vache?

P. 26 Que dit le veau quand il voit sa mère?

Une belle meeeuuuhdaille

Bravo, tu as réussi à répondre à plusieurs des devinettes! Pour te récompenser, fabrique-toi une belle meeeuuuhdaille. Pour t'aider, rends-toi sur le site de Fonfon. Tu y trouveras la médaille de Gertrude, que tu pourras découper et colorier!

Le poussin mystérieux

Relis l'histoire et observe bien les illustrations. Un poussin se cache dans chacune. Amuse-toi à le trouver et, si tu cherches bien, tu découvriras aussi son dessert préféré.

Plusieurs autres activités et trousses pédagogiques offertes à: www.editionsaf.com/fonfon